한 얼굴의
이
가일 때의
대처법
Inui Nikuya
KB088001

험악한 얼굴의
이웃이
오메가일 때의
대처법

# 1 화

우리 옆집 사람은
엄청 무섭다.
…세요.

달칵
무…
무서워~…

가끔
만나지만
매번
까칠하고
노려보는 게
기본이다.
인사는
한다
목까지
타투가
새겨져
있고.

'험악한
얼굴의
알파'네….
쾅

잘 들어,
코우타.
알파에는
세 가지의
유형이 있어.

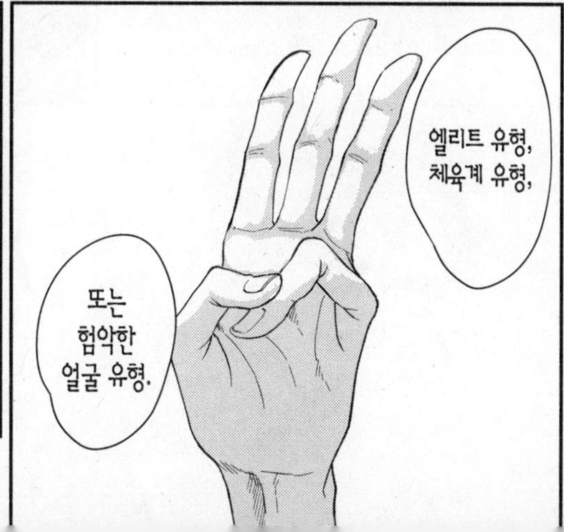
엘리트 유형,
체육계 유형,
또는
험악한
얼굴 유형.

……
으응
….

코우타는 전형적인 체육계 알파고
나는 뭐, 엘리트 유형이려나.
자기 입으로 말하다니, 웃기네.
험악한 얼굴 유형 같은 건 그냥 건달 이잖아.

결국 오메가에겐 체육계 아니면 엘리트계가 인기다, 이 말이지.
그런 의미에서 또 오메가 불러서 술 마시자.
좋아—
놀 수 있는 건 대학 때뿐이야.
너희는 엘리트라기 보단
놀기 좋아하는 날라리 계열 아냐?

대학에 들어오고
주변 사람들이 확 바뀌었다.
같은 학년의 알파들은 모두 갑자기 성에 눈을 떠서
입만 열면 오메가 이야기만 한다.
누구도 야구 이야기는 하지 않아….
전 야구부원
허구한 날 오메가, 오메가…
질리지도 않나 봐.
지금이니까 말하는데 너는…

알파 주제에 성욕이 너무 없어.

그러니까.
반골 기질에 허세까지 있지.
뭐라고?

오메가 냄새에 둔감하다니. 있을 수 없는 일이야.

실제로 그렇게 냄새 같은 게 나나?
나지. 바보야.

몰라?!
달콤하고 야~한 냄새.

…?

코우타는 순수한 게 장점이잖냐.
너의 그 키와 덩치는 대체 뭘 위한 거냐고.
오메가를 골라잡을 수 있는 포텐셜이 아깝다—!!

그러니까 흥미 없다고.
혹시 그냥 발기부전 아니야?

좀 더 적극적으로 살아!!
진짜 인생 손해 보고 있다니까!!!

나 이외의 알파가

쾅
너무
발정 난
거라고.

옆집으로부터 풍겨오는
심상치 않은 냄새~
그래도
이건
아무리
나라도
알겠다…
험악한 얼굴의
옆집 인간이
오메가를
끌어들였어!!!
알파란
족속은…
죄다
발정 난
녀석들뿐이야.

내가 알 정도로 오메가 냄새가 나다니!!
이거 지금 발정(히트) 하고 있는 거 아니야?
처음으로 제대로 맡았는데
진짜 좋은 냄새가 나는구나….
뇌가 녹아버릴 것 같다고 해야 하나….
…갑자기 시작하기 전에 딴 데 가서 시간이나 때우자.
하-
빈틈투성이인 낡은 아파트에서 발정기 섹스라니.
좀 봐주라.

피어싱 엄청나게 뚫고
타투가 목까지 눈매가 무서워
한마디 하고 싶지만
그 사람, 진짜 무서우니까.

패밀리 레스토랑에서 시간 죽이거나 다른 사람한테 연락해서
피난이나 갈까.

철컥

엥
엥!
응?
에에엥??!!

왜
이 사람
한테서
이런
야한
냄새가.
설마…
오메가를
데리고
온 게
아니라

오메가.
남녀를
불문하고
임신할 수
있는 성.
네가
오메가냐
!!!!!!

3개월에
한 번
발정기가
찾아와
알파를
유혹하는
페로몬을
풍긴다.
보건 체육 교과서
발췌
이런
상황에서
생각나는 게
보건
체육 수업
내용이라니.
위험해.
위험해.
직접
맡으면
자극적
…으윽.
…죄송
합니다.

냄새가
민폐였죠.

갑자기 히트가 와버렸는데
병원에서 처방받은 억제제가 다 떨어져서요.
지금 시판 약을 사 올 테니까.
잠

건드리지 않아요
깐….

그 상태로 외출하려고요?!

아무리 그래도 그건 위험하죠.
제가 갈 테니까 방에 있으세요.
…네?
역 앞 드럭 스토어에서 파나요?
그보다 자주 드시는 제조사? 같은 거 있으세요?
아… 아뇨 뭐든

가장… 강한 약으로….

오메가
….
발정기의
이게…

엄~청
야해.
아까까지
무서웠는데
엄~청
야하다고.

큰일이다.
나 분명
한껏 핏발 선
눈으로
봤을 거야.
거기다
완전
발기해서.

약
약
갑작스러운 발정기에
그보다 그 외모로 오메가라고…?
전혀 눈치 못 챘어.
역시 내 코는 망가진 건가….

이사하기 전에 할머니가 말씀하셨지.
이웃과의 교류를 소중히 해라.
이런 것도 필요할까…?
아니 근데 감기는 아니잖아?
곤란할 때는 서로 도와주는 거라고.
감기·컨디션

알고 있어요, 할머니.
하지만

이렇게 주제넘게 참견해도 괜찮은 걸까.
이웃과의 교류에 있어서 적당한 선이란 건 꽤 어렵다.
저기— 옆집 사람인데요.

약 사왔으니까 문고리에 걸어둘게요.

그리고 필요 없을지도 모르지만
스포츠 드링크 같은 것도 넣어놨어요.

저기…
…괜찮으세요?
철컥

어.

어? 잠…
슥
미안.
조금만 맡게 해줘.
네?!
뭐야 뭐야 뭐야?!
죄송해요. 저 냄새나요?!
그런 게 아니야.

네 냄새
안정돼.
하
윽
?!!
내가
발정이
꽤 강한
타입
이라
시판
약으로는
완전히
억누를 수가
없거든.

근데
네 겉옷 냄새를
맡았더니
조금 편해졌어.

아….
아니아니아니아니!!
그렇게 안 보일 수도 있겠지만 전 알파예요。
알고 있어.
알고 계시면
그…
위험…
하니까.

미안 하지만
섹스 해줄래?

까톡
약효
돌 때까지
못 기다려.
부탁
할게.
진짜
괴로
워서.

네 냄새
안쪽부터
문질러줘.

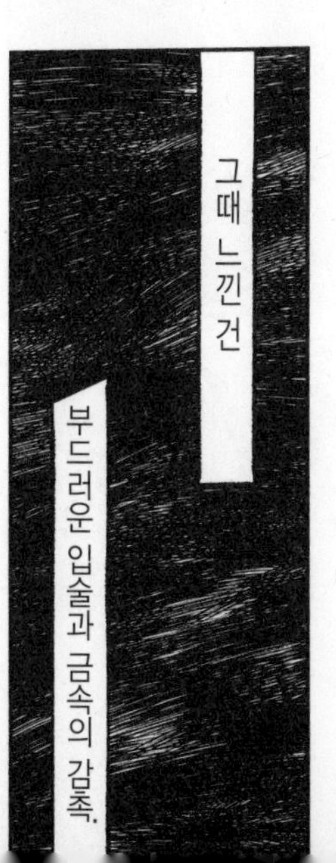
그때 느낀 건
부드러운 입술과 금속의 감촉.

이런
폭력적인
성욕이
있었다니.
…큭,
붕
붕붓
붕붕붕
질척
질척
철퍽
철퍽
철퍼벅
붕붕—붓
부들
부들
후우욱—
후우욱—
퍼벅
아앗.

거기,
하앗
하앗
하앗
마구 찔러
하앗
줘.
후——…
후——…
뭐냐고,
이 사람.

냄새 때문에 정신이 나갈 것 같아.
퍽
퍽
퍽
퍽
엄청나게 물고 싶어.
하앗
앗
하앗…앗
흔들
흔들
몸뚱이째로 전부 먹고 싶어.
목을 물면서 허리를 처박고 안에 싸고 싶어.
파
악

무방비하게 등 보이지 마. 젠장.
무슨 일 생기면 어쩌려고.
하악 하악
하악
하악
앗.
아…
움찔
기다렷
움찔
앗아
퍽 퍽 퍽

움찔
흐읏
흐응————읏
꾸우욱
푸슛
푸슛
움찔
흐읏
움찔
흐응
흐응 읏
움찔
스읏
덜컹

하아-…
하아-…
또옥
뿌려대지 마.
미안 …
쓰윽
밖에 싸는 것만 생각하느라.
눈에 안 들어갔어요? 괜찮아요?
……
이름은?

네…?
에나츠.
성 말고
이름.
코우타.
코우타
구나.
미안하지만
가끔
좀 빌릴게.
뭐를?

고추를.
응?

역시 어중간한 억제제보다 잘 듣네.
네 냄새.
또 발정오면 부탁 좀 하자.
그그그극…
이웃 간의 정으로 말야.

뭐라고 오오오오오 ?????
콰 콰 콰 콰 콰 콰 콰

동급생들은
여름이
지나자
지독히
겉멋만
들어서
세계의
구조를 전부
깨달은 것만
같은 얼굴을
하고 있다.

덜컥
쾅

꼼지락…
쏴아

# 2 화

덜커덕
쿵
쿵
쿵…
쾅

나는
어제까지
아무것도
몰랐다.
벌
컥

좋은 아침.
…아침.

이 험악한 얼굴의 이웃이
오메가였다는 것도.

녹아내린
목소리가
평소보다
달콤하고
그걸
필사적으로
숨기려
했던 것도.
그래 놓고서
오늘은
아무렇지도 않은
얼굴을 하다니,
젠장….
사람의
순정을
빼앗아
가놓고…!!
쿠의 말과 남섬
화악

저기요.
역시 시판 약은 효과가 없었나요?

뭐
완전히 억누르는 건 무리지.
진찰은 오후부터니까 밥 먹고 병원 갈 거야.
네?
괜찮아요?
제법 냄새가 ….

스윽—
…읏?!!

응.
이걸로 괜찮아.

…무슨.
그…
런 가요?
왜?
덮치는 줄 알았어?

덥...
부릉
아니
거든!!!!
부릉
릉 릉 릉
산뜻하게
떠나는 건
뭔데.
야하고
녹아버릴 것
같은 냄새를
남긴 채로
엄~청

나만
어색한
거냐.
가끔
고추
빌려달란
말은
사귀자는…

…뜻은
아니겠지.

아니.
사귀는 건
아니지.
우걱 우걱
우걱 우걱
성가신 일에
휘말렸을
뿐이야.
그거라고,
그거.

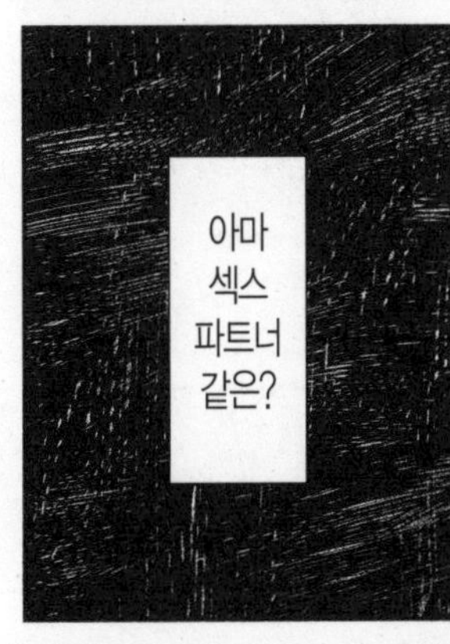
아마
섹스
파트너
같은?

하
섹스
파트너
라니….

나는
이 녀석들과
다르다고
흠칫...
생각
했었는데.
있잖아,
연합 동아리
신입생 환영회
안 갈래?!

클럽 빌려서
한다는
모양인데.
신입생
환영회의
계절인가.
아니
아니
아니.
이름만
그래.

알파 전용
연합 동아리
친목회다?
즉…

오메가도
옵니다.
신청 접수 중.
미팅
하늘의
은혜!!
반드시
갑니다.
경배하라
경배하라.

코우타도
오
안 가.

괜찮다니까.
겁먹지 마.
너라면
인기
없을 리가
없어.
인기
걱정하는 게
아니라고!!

나는 지금 그럴 때가 아니야.
본의는 아니지만
어제 그 일이 너무 선명하고 강렬해서 머리를 떠나지 않아.
성욕 처리만이 목적인 본능적인 섹스 였는데도
그 달콤한 냄새가
바로 곁에서 나는 것만 같다.

으엑.
저거 미야나가 씨 아니야?
진짜다! 위험하다고 유명한 그….
무서워….
와, 진짜로 험악한 타투가 새겨져 있네.
응? 뭐지?
이쪽으로 오는 거 아냐?

당신…!!
벌떡
당신?!
왜 여기에 ….
그보다, 같은 대학 이었어?!
꽉
나 좀 보자.

잠깐
기다려!!
무슨 일인데
어?
......

뭐야. 코우타 지금
두들겨 맞는 거야?!
그래도 뭔가 아는 사이 같지 않았어?
아니아니아니. 그것보다 저 사람,
페로몬 냄새 나지 않았어?

쾅

왜 또
온 거야?!
병원은?!
가려고
하는데
갑자기
….
학
학
학
네 냄새가
나서
찾으러
….
히트?!

펄럭

파
아아,
진짜!!
말

너무
부추기지 마.
젠장….
이쪽도
이성
풀가동하고
있으니까.
꾸욱

솔직히
이성은
아슬아슬한
상태고
하

용케
견디는
중이라고
생각하지만

떼어낼 수 없잖아.
뭔가 … 이젠.
이렇게 필사적으로 매달리면

이젠 더 이상 생각이 나지 않을 정도로.

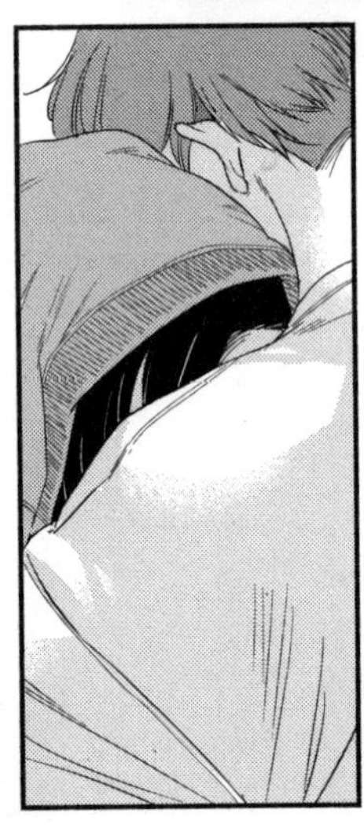
이 사람의 어떤 면을 무섭게 느꼈던 건지

……
기대하는 듯한 얼굴 하지 마.

…읏.
불가능한 말…
하지 마.

뭐야?!
지익—
잠깐.
뭐 하는
….
어제랑
오늘 일의
답례.

읏
말도
안 돼!
츕
츄릅
츕
됐다
니까.
그런 거
하지
마….
안 돼.

쾌락에
휩쓸려간다.
시키고
싶지
않아.
하아
무슨
처리하는
것처럼….
하아
하아
젠장.
젠장…
읏.
으… 큿
스윽
꿀꺽

병원
갔다 올게.
나…
나도 갈게.
봐.
돌봐달라는 부탁 안 했어.

그런 냄새
풍기면서
무방비하게
돌아다니지
마!!

팍
어떤
아가씨랑
착각하는
건지는
모르겠는데.
난 섹스한
사람보다
때려눕힌
사람이
더 많아.

뭐냐고
….

# 3 화

그런 냄새
풍기면서
무방비하게
돌아다니지
마!!

난 섹스한
사람보다
때려눕힌 사람이
더 많아.

아,
그러냐.
그럴지도
모르지.

설령
그렇다
해도
사람을
너무 자기
편할 때만
찾잖아.
꽈악…
젠장.
아—
돌아왔다!
뭐야,
무사하네.
하여간~.
하…
갑자기
납치해 가길래
얻어맞기라도
하는 줄
알았어.
자,
여기
짐
그럴 리
없잖아.
아니,
아니, 아니.
상대가
그 미야나가
씨인데?!
그럴 수
있다
니까!!

유명
하잖아.
길 한복판에서
싸우고
사람 셋을
쓰러뜨렸다는 등.

같은
학과니까
너도
알잖아.

고등학생 때
고향에서
장난 아니었다고
선배한테
들었어.
학교도
자주
안 나와서
유급했대.
아—
그거네.
한 학년 위의
동급생인
거지?

아니,
그보다
그 사람
오메가
아니었어?!

그치?
그렇게나
알파 같은
얼굴 하고
있는데.
아~
그런
투박하고
무서운
오메가 하고는
못 할 듯.

어?
난 완전
가능.

그 사람
엄청
미인이잖아.
안 그래?
코우타.

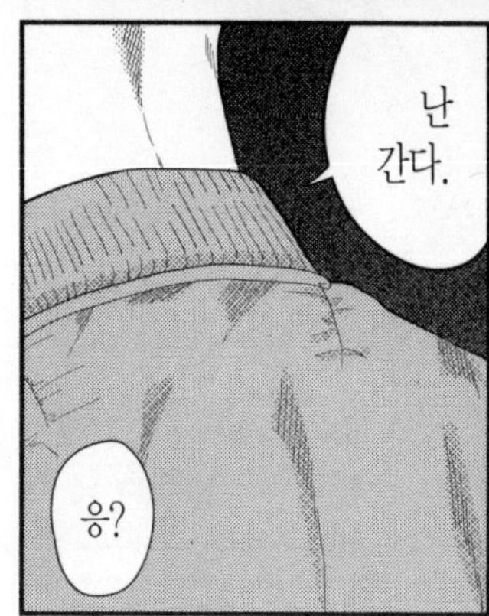
난
간다.
응?

응?
간다고?
오후
수업은?

배
아파!!

배아파…?

할 수
있다는 둥,
못 한다는
둥
아무것도
모르는 주제에
시끄럽다고.

하지만
그 녀석들이
나보다 훨씬
녀석에 대해
잘 알고 있었어.
이름도
학교도
몰랐던
주제에
소리
지르고,
지나치게
걱정하고.
나도
꽤 짜증
나네….

풀썩

병원에
잘
갔으려나.

쾅
쾅
쾅
철컥 철컥 철컥
팟
쾅앙
버? 지금 옆집에 갈까? 하지만 그건 너무 간섭하는 것 같은데
버 버 버 버 버
하지만 걱정된다고 해야하나 신경 쓰인다고 해야 하나 메시지 보내고 싶어도 연락처를 몰라—
미,
미야나가!
…씨.
연상인 걸 떠올림

…뭐야.
시끄러…
아,
아니
그

아—…
병원 잘 갔나
해서.

……
갔어.

후
병원 약은 부작용이 심해서
엄청나게 나른해지니까 싫어하는데.

그건 기분이 나쁜 게 아니라
부작용이었나.

같은 대학이었네.
몰랐어.

난 알고 있었어.

알파 도련님
그룹 안에서도
넌 유명해.
별로
나쁜 의미는
아니지만.

잠깐.
그쪽으로
가도 돼?

지금은 섹스 필요 없어….
아니! 그런 게 아니라!!

냄새로 부작용이 가벼워지거나 할
지도 모르잖아.

겉옷 빌려줘.

그걸로
충분해.
자

있잖아.
히트 끝나면
사례할게.

덜컹
생각해 둬.

사례라니.
예를 들어
밥을 사준다든가?

어? 그건
데이
트.

쾅
드르르르르
방
나…
엄청나게
기분 나빠.
아냐, 아냐.
나는 단지
도움이 되면
좋겠다고
생각했을
뿐이야.
한 번
잔 정도로
들뜨거나,
그런…
좀 더
오메가에 대한
내성을
길러둘 걸
그랬어….

그랬으면
분명
그 녀석의
태도
하나
하나에
부웅
착신 중
이렇게
엉망
진창이
되지는
않았을
텐데!
부웅
부웅
부웅
네.
아,
미야?
미안한데
오늘
아르바이트
나와 줄 수
있을까?!

아….
아즈마가
무단결근
했거든.
내복약
하필 주말에
단체 대관이
들어와서
바쁜
시기인데!!
오늘은
큰 건이라
신입이랑
둘이선
가게 못 봐.
…조금
늦어도
괜찮다면.
고마워—
완전
괜찮아!!!

JAC

미안해, 미야.
몸도 편치 않은데 나오게 해서.

얼마 전에 히트가 왔을 때 일찍 퇴근시켜 줬잖아.

저기
미야나가 씨 오메가였어요?!
맞아~
몰랐어?

?!
?
라임 잘라야 하네 귀찮아~

다른 오메가랑 다르게 발정이 심한 타입이라
강한 약을 먹고 그 부작용으로 학교도 자주 쉬는 모양이야.

지금도 주기 중이라 힘들 텐데 이렇게 나와 줘서 얼마나 미안한지.
어라아?
형씨 오메가네.

목에
보호대
안 차고 있네.
물어주길
기다리는
거야?

얼굴은
괜찮은데
타투 새긴 건
아깝다.
만지작…
Coror
BEER

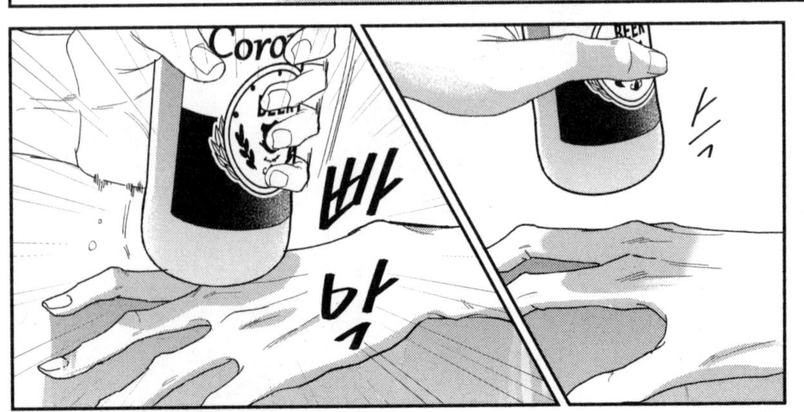
빠
악
Coror

너 같은 게
좋아하지
말라고
새긴 거야.
Corono
악

세다.
토닥

담배 피우고 와도 될까요?
그럼 그럼.
다녀와~
탑
탑

달칵

후—…
특정한 누군가의 냄새로 편해진다?

그 사람의
냄새라면
옷 같은 거로도
괜찮다고?
아—
그건
말이야.

둥지 만들기
원리야.

아니.
짝 같은 게
아닌데요.
아—
그래?

뭐,
그럼
상성
이려나.
상성.

그 사람이랑
짝이 되면
되겠네.
히트가
편해져
바하하하하하하하
그 돌팔이
의사.

부비적

한 벌 더
뺏어올 걸
그랬다.

그렇다.

내가
오메가에
익숙하지
않은
탓이다.

가서 자리 잡아 둘게.
OK
코우타, 배 아픈 건 어때? 괜찮아?
저번에 말했던 오메가
☆123
ABC
오메가에 내성만 있다면 분명히
이런 착각 따위 안 할 거야.
?!!
!!
??
코우타
저번에 말했던 오메가가 모인다는 신입생 환영회.
코우타
나도 갈래.

코우타를
더럽히는 것 같아서
복잡한 심경이 드는데.
드디어 눈을 떴나.
코우타!
더럽혀
…?!
눈을
떠?

콰앙
이번 주 토요일이야!
장소는 보내 둘게.
JAC
MUSIC BAR
OPEN
JAC
OPEN
둥
둥
둥
http://goo.gr/maps/m1xteahZW
DJ BAR JAC
☆☆☆☆

4 화
빌려준 카디건은 문고리에 반납되어 있었다.
……
아….
화
악

빨아서
돌려 주라고.
젠자앙.

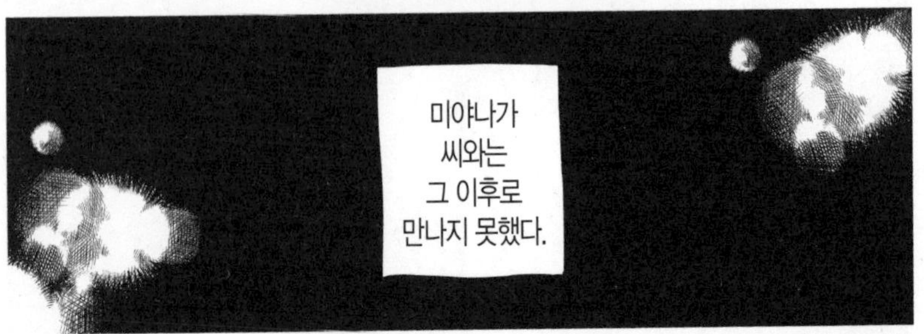
미야나가 씨와는 그 이후로 만나지 못했다.

연락처도
모른다.
밤엔 아르바이트를 나가는 모양이고 아침에도 마주치지 않았다.
자고 싶은 걸로 착각할 것 같고.
쳐들어가면
이 얇은 벽 하나만 넘으면 분명히 있는데도.
아니, 하기 싫은 건 아닌데

…그보다
좀 더

키스
같은 걸
하고 싶어.

쾅
철컥 철컥

띠링
나갔다…

오늘 오후 6시에 클럽 앞에서 보자.
진짜로

환영회에 간 정도로 오메가에 익숙해질 수 있으려나…?

아~ 이건…
가기 직전에 귀찮아지는 그거…

아무것도
안 하고
이러니저러니
고민하는
것보다
일단
움직이는 편이
훨씬 나아.
벌
떡
Calvi Klein

나의 동정
마인드에게
넓은 바다를
보여주고
깨우쳐
주겠어.
동정 마인드
세상에는
모베가가
바닷가 만큼
처럼
넓슥

에나츠
코우타는
진전이
없었다.

진짜 왔다!
안 올지도 모른다고 생각했는데.
뜨끔

약속 했잖아.
뱉은 말은 잘 지키는 구나.
다 모였으니까 들어갈까!

5시 반 개장이라 벌써 사람들이 많은가 봐.
진짜냐. 태그 찾아 봐야지.
해시태그 뭐였지?

코우타.

무리하는 거 아냐? 괜찮아?

넌 이런 곳 껄끄러울 거 같아서.

나도 소스케처럼 여유로워지고 싶다.

뭐야 갑자기.
마음의 여유가 필요해….
아니 진짜 무슨 일이야?!
JAC
OPEN

이름표 써서 달아주세요~

음료는
입구 옆
카운터에
있습니다.

달칵
우와
….

화아아악
뭐야,
이거.
대박이다
….

뭐가?
아니,
냄새가
말이야.
이렇게
오메가 냄새가
넘쳐나도
괜찮나?
스륵…

쪼옥
안녕—
형, 알파죠?
와글 와글
꺅 꺅
1학년?
연상도 괜찮아?
뭐야~ 치사해. 여기서 나랑 얘기해요.
와글 와글
와글

어느 학부야?
마실 거 가져다줄게.

아~ 이거
생각보다 품위 없는 인간들 모임이었나.
툭
야, 소스케.

멍
소곤
이중에서
누가
오메가야?

아니, 아니,
아니.
보면
알잖아!!
보면…이
아니라
냄새로!!!
아니…
향수 냄새는
나는데….

이거
향수가
아니라
오메가
냄새야?
바
니
야

잠깐만.
너 여태껏
오메가 냄새
모른다고
했던 말
진짜였어?!

있잖아.
혹시 너
오메가
냄새를
모르는
알파야?

아…
네.
맞아요.
죄송합니다.

웅성

손님~
안에 오래 계시는 것 같은데 괜찮으세요?

화장실을 점거하는 행위는 삼가주세요.
아, 네. 괜찮아요!!!
달칵…

쿵
덜컥
방해했다
벌컥

장난 아닌데요. 본성이 나오고 있어요.
한번 자 보려는 꼬맹이들 모임이냐고
본성이라고 하지 마.

나 참….
후다닥
허둥지둥

오늘 파티는 치안이 안 좋으니까 가끔 둘러봐 줘.
넵.

둘이서는 가게 못 보잖아요.
컨디션 안 좋으면서! 천사냐구.

미야, 더 안 쉬어도 돼?

사장님도 이런 대관 예약은 좀 받지 말지.
하여간.

미야나가 씨는 평소에 이런 모임에 참여 안 하시나요?

듣자하니 오늘 온 알파들은 좋은 대학의 도련님들 이라잖아요.
그… 좋아하는 타입이라든가 있나…해서.

이런 곳에 오는 녀석을 들일 구멍은 없어.

분위기 파악하는 스킬이 없구나

menu
맥주랑 진저에일.

진짜 법학부야?
머리 좋구나.

왜?
남편 후보?
좋은 알파는 빠르게 킵해두고 싶잖아.
영악하네 (웃음).

알파랑 오메가 냄새가 섞인 게 독해서
어질어질해.

자신의 성을 직면하는 게 지긋지긋하다.

심지어 이런 뭣 같은 체질은

강한 약을 먹어도 완전히 안심할 수 없다.

코우타.
코우타.
냄새를 맡고 싶어.
대체 그 녀석의 냄새는 뭐지.
지독한 발정도, 나른한 부작용도
한 번에 해소되고 그저 안심하게 된다.

누군가에게 「안기고 싶다」고 처음으로 생각했다.
…뭐야.
이건 '냄새를 맡고 싶다'가
아니라.

저기 모여있는 사람들 뭐야?

오메가들에게 엄청 둘러싸여 있는 알파가 있네요?

있잖아,
내 냄새는
알겠어?
내 거는?
내 것도
모르겠어?
아니,
그니까
모르겠
다니까.
향수 냄새
때문에
아무것도
모르겠다고.
꺄
아
아
뭐야,
저 엄청난
인기!!!
버화둥둥
버화둥둥
코우타라면
인기 많을 거란
생각은 했는데
이 정도일
줄이야.
그거야
그렇지.
그도
그럴게…

재 특이성
알파잖아?

특이성
알파…?

가끔
있단 말이지.
오메가
페로몬에
둔감한
희소종.
최근에
드라마로
만들어져서
한창 인기야.

코가 안 좋은
알파라는
이유만으로
저렇게까지
인기가
많다고?
그럼
나도 이제
만성비염
할래!!!
코우타가
만성 비염인
것처럼
말하지 마.

왜
오메가 냄새에
둔감한
것만으로
저렇게 인기가
많은 거야?
딱히
좋을 거
없지 않나?

특이성 알파의
특성이란
그것만이
아니거든.
뭐, 쟤는
특이성이
아니어도
인기 많겠지.
저 얼굴에
저 스타일
이니.
흥
나는
경쟁률 높은 곳은
안 가는 파지만.
KEEP
그거…
기쁘지
않은데.

미안,
잠깐.
떨어져
줄래?

뭐~?
왜~?
마실 거
가지러
가게?
나도
갈래.

이거…
내성이 생기긴 하는 건가.
여전히 알파랑 오메가 차이를 모르겠어.

이 사람들에겐 에로한 기분이 전혀 솟지 않는데?!
집에 가고 싶어요—
동정 마인드

혹시 난 내성이 없는 게 아니라
너무 있는 건가?

그럼 왜

그 사람 앞에서는
전부 망가져
버리는 걸까.

코우타 군, 여긴 그만 나갈래?
잠깐
기다
그니까
치사하게 선수 치지 말라고.

주문은?

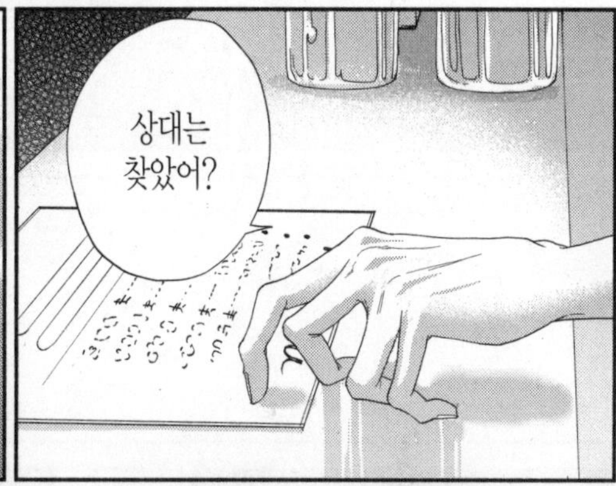

상대는 찾았어?

아~.
변명은 좀 들어!
아니야!!
나는 그럴 생각으로 온 게

빌려줘.
몸.
특기잖아.

난 이제
됐어.

...웃.
...말 좀
가려서 해.

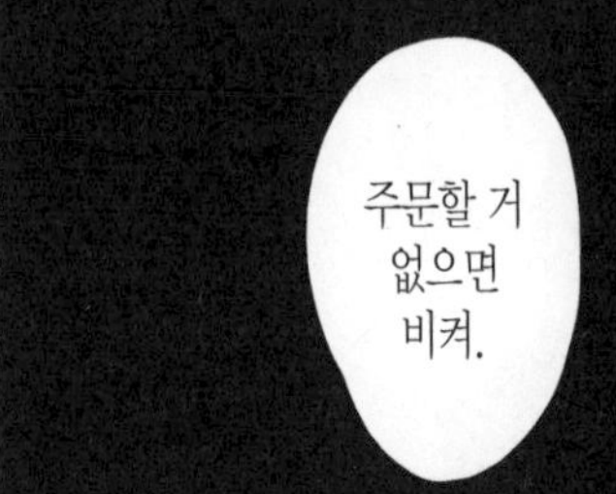
주문할 거
없으면
비켜.

# 5 화

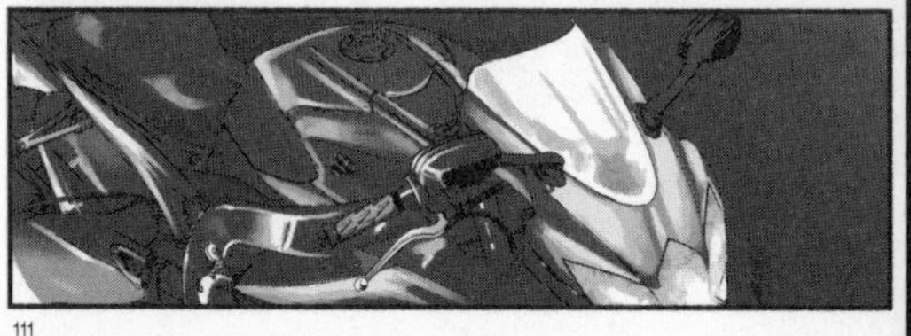

NIKUYA INUI @298inui

# 험악한 얼굴의 미웃이 오메가일 때의 대처법

코우타 어디 갔어?
그러고 보니 아까 자리 뜨고 나서부터 못 봤네.
아, 그러네.
듣고 보니.
이거
누가 데리고 나간 거 아냐?
그거다.
있잖아~ 데킬라 러시안룰렛 하자.
너무해.
괜찮으려나….

미야,
괜찮아?
몸 상태
안 좋아?

오늘은
괜찮으니까
그만
돌아…
괜찮아.

아, 하지만
무리하고
있는
거라면.

저렇게
되는 거
흔치
않은데….
쾅
철컥
후—!…
아까는
남자 친구
였을까.
남자 친구가
이런 곳에
와 있으면
충격이지.

바람 피우지 않는 알파 같은 건 없는데.

요즘을 '오메가가 남아도는 세대'라고들 한다.

알파는 오메가를 마구 취하는 데 반해

오메가는 알파를 확보하는 데 필사적이다.

그래도 미야는 달라.

오메가에게도 알파에게도 저항하면서 살고 있어.

Close

삶의 괴로움이
얼룩이
되어버린 듯한
문신이다.

미야,
오늘
바이크 타고
왔어?
끄덕
알겠어~
수고했다~!

딸칵
딸칵

하아…
탁
탁
탁
AC

뭐 하는
거야.

이야기가
하고 싶어.

비켜.

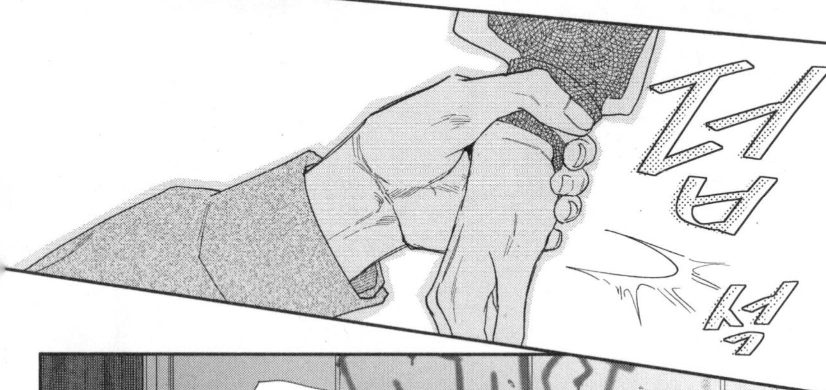
덥석

사례한다고
했지?
뭔가
생각해
두라고.

지금
5분만 줘.
내 이야기
들어줘.

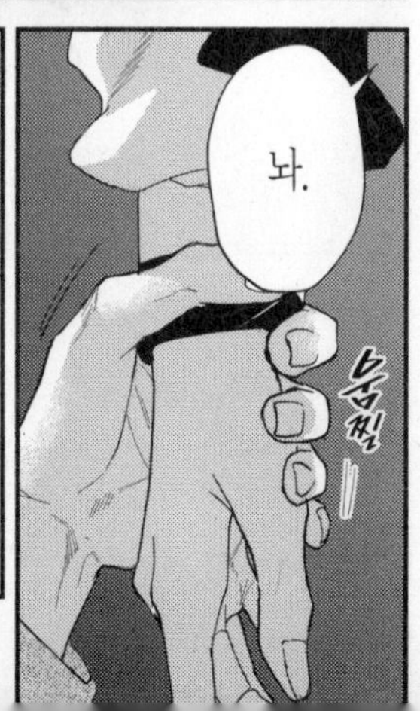
놔.
움찔

담배
못 피우겠잖아.

그날이
처음이었어.
그,
섹스 같은 걸 한 게.
그건 … 실례했네.
그건 별로
상관 없는데.

뭔가 나만
당신을 의식하는 것 같고
들뜬 마음을 어떻게든 하고 싶은데
그러면 오메가 내성을 기르면 되는건가, 라는
생각이 들었어.

이곳에는 오메가에 익숙해지기 위해 온 것 뿐이야…
그거
나한테 말해도 곤란한데.

한 번 잤을 뿐인 녀석에게 일일이 집착하면 좀 힘들지 않아?
…알고 있어.

당신이 나한테 관심 없는 건 알고 있어.
그래도
이젠 인정할래.
난 당신을 좋아해.

오늘,
저 안에서
냄새가
나는 건
당신뿐
이었어.
저렇게
오메가가
많은데
전부
아무 냄새도
안 나고.
…뭐?
콱
나는
무조건
당신이
좋아.

어떻게
하면 돼?
어떻게
하면
좋아해
줄래?
…잠,
잠깐
기다려.

너 아까
오메가 냄새가
전혀 안 났다고
했어?

설마
너…
특이성
알파….

특이성
알파?
오메가가 냄새를
알아차리지
못하는 체질을
말해.
오늘
오메가 냄새
안 났었지?

또
그 얘기야…?
아까도
몇 번이고
들었어.

난 당신
냄새 말고는
모르겠는데…

어라?
미야나가 씨,
왜 냄새가
나는 거야?

설마
그런 장소에
있으면서
약 안 먹었어?
멍청한
소리
하지 마.

제대로
센 약으로
억누르고….

간다.
착
뭐?!

잠깐. 아직 5분 안 지났잖아.
벌써 지났어.
부욱
거짓말. 아직 3분 정도밖에 안 됐어. 분명!!!

잠깐.
잠깐, 잠깐. 기다리라니까.
감격
특이성 알파라는 게 뭔데….

잠깐 찾아볼 테니까 기다려.
OK goggle '특이성 알파'!
바보야, 하지….

특이성 알파란 이하와 같습니다.
지식
특이성 알파(또는 특수형 알파)란
최근 발견된 특이 성 중 하나로
web으로 검색

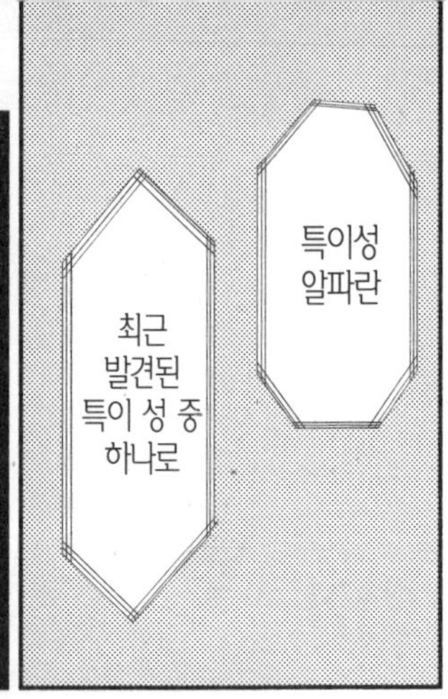
특이성
알파란
최근
발견된
특이 성 중
하나로

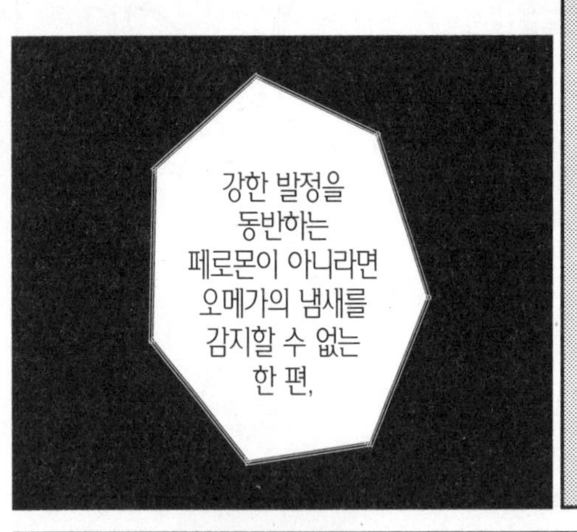
강한 발정을
동반하는
페로몬이 아니라면
오메가의 냄새를
감지할 수 없는
한 편,

서로
좋아하는
오메가의
페로몬은
아주 적은
양이어도
감지할 수
있는
희소종
입니다.

…서로
좋아 한다고.

아니, 아니, 아니.
도망가봤자
같은 주소인데요?

아까 당신 뭐라고 했어.
한 번 잤을 뿐인 녀석에게 일일이 집착한다고?!

알았….
당신도….
읏… 알았어.

미안해.

서로
좋아하는
거야?
진짜로?

그래서 난
당신 냄새만
맡을 수
있는 거야?

…너
취향이
이상하네.

너라면
좀 더 귀여운
구석이 있는
오메가를

얼마든지
고를 수
있을…

응….

덜컥
조급하게 굴지 마.
또 현관에서 할 생각이야?

후――…
후――…!
…읏. 침대로 갈래.

불끈
우왓

너 의외로 힘 세네.
전 야구부원을 얕보지 마.

스륵...
억제제를 먹었는데도 이래.
엄청나게 꼴불견이야.

와락
그렇지 않아.
편안하게 해줄게.
핫
세컨드 동정이 허세 부리긴.

끼육
꽈악
응응응읏
끄
흐읏
거거
븅ㅡㅡ읏
븅
앗
핫… 아아.
모박모박모빠악
아앗.
앗. 하아.
움찔
움찔
스브ㅡ윽
바앗 바앗
엄청나… 안쪽.
흐물 흐물.

철썩
퍽
하앗
퍼억
앗
핫…
퍼억
앗
하앗
앗
핫
꽈악
꾸욱욱
아!!
히익
목소리.
높아 졌어.
여기야?
응
끄덕

저기,
이름 알려줘.
꾸욱
성 말고 이름.
그걸 지금 묻는 거야?
퍽
알려 준 적 없는걸.
알려줘.
부르면서 안고 싶어.

……
류노스케.

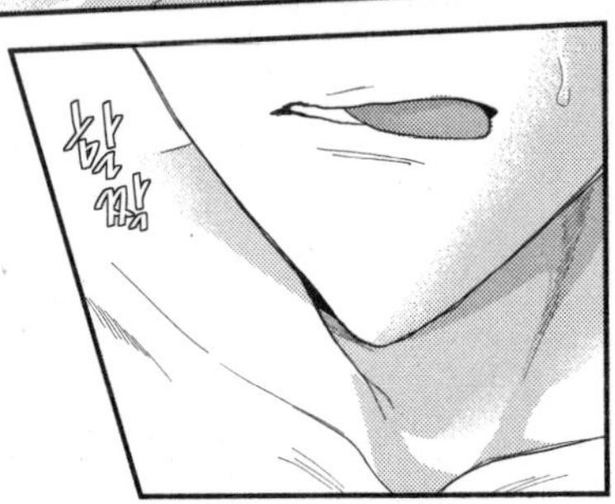
할짝

류노
스케.

찌걱
흐앗
류노 스케.
철썩 철썩 철썩 철썩
앗
앗
아앗 앗
류노 스케.
앗
아아앗
류노 스케.
좋아 해.
응
오박 오박
엄청 좋아해.
응

하아아
이제
가….
맛
아아앗
흣
흣
울컥
나한텐
절대
관심 없을
거라고
생각
했어.

진짜
고추
역할인가,
하고.
꽈아아악
단순왕
….

관심
없을 리
없잖아.

난 네가 계속 무서웠는걸.

…응?

그렇잖아.
대학에서 뻔히 알파 집단에 있는
체격이 좋은 알파가 옆집 사람 이라면.

난 원래 냄새가 강한 체질이니까
조금의 페로몬도 내보내지 않도록 계속 약을 먹었어.
그래서 그날

널 자극하는 게 무서워서 약을 사러 나갔을 때
끝났다고 생각했어.

분명 이대로 강간당할 거라고.

그랬는데 넌 약을 사러 간다 그러고
겉옷까지 넘겨줬지.

반하기에는
충분하잖아.

내가
거기 있다는
사실만으로도
두려움을
줄 수 있는
존재라니
몰랐어.

※알바트로스 : 일본어로 '아호우도리'라 발음되는 바닷새로,
사람이 다가가도 달아나지 않는 데서 '멍청이(아호우)'라는 이름이 붙었다.

자기 생태를
검색해 봐.

?
슬쩍

오메가에게 인기 급상승!
'특이성 알파'란?
•귀여워! 라며 큰 인기
귀여워?

특이성
알파가
귀여운
이유.
서로 좋아하는
오메가의 냄새만
맡을 수 있고
평생 바람을
피우지
않으니까.

듣고 보니
확실히
다른
오메가
냄새를
모르니까
마음이
변하고
뭐고 없구나.

그
한결같음과

멸종위기종인
점

오메가와 베타에게는 인기였지만 알파에게는 그렇지 않았던 화제작

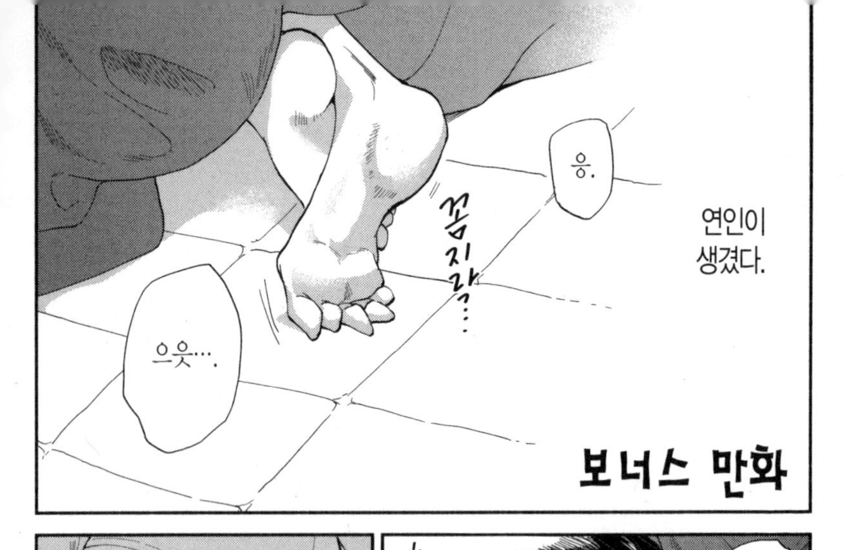
연인이 생겼다.
응.
꼼지락…
으읏….
보너스 만화

으응 ….
후- 후-
…응.
으응.
부비적 부비적
… 큭.
한 살 연하이며 성격이 좀 귀찮은 녀석.
쾅쾅쾅
한마디로 말하면
철컥
류노스케!
또 억제제 안 먹었지!

엄청 고지식한 바보.

발정기 섹스는 위험하니까 안 한다고….

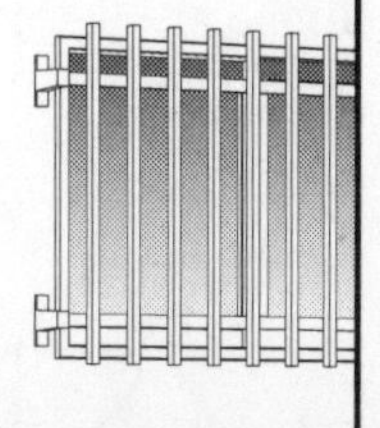

매번
냄새 풀풀
풍겨대고….
약 먹어.
싫어.
'싫어'가
아니야.
그보다 그거
내 겉옷이잖아
늘 비불로
옮기는 남자

안에다
싸.
사후
피임약
먹을 테니까.

이
성욕과 이성이
찌릿찌릿하게
다투고 있을 때의
얼굴.
동한다.

내가
이 정도로
누군가에게
빠지다니.
앗...
하아
앗 읏
앗
앗
찌걱
찌걱
그러니까
뒤 보이지
말라고.
발정기
중에는
이미
하악
하악
하악
움찔
움찔
삽입하기 쉬우면서
물기 쉬운
체위냐고
몸이
멋대로
이렇게 돼.
스윽...

진짜로
뒤로는
안 돼.
홱

그렇게
노려봐도
안 돼!!

그럼
위에 앉게
해줘.
응.
이러니
저러니
하면서도
나의
느슨함은
탓하지
않아서

앗
앗
안심하고
긴장을
풀고
힘을
뺀다.
으응~
응
흐들
흐들
흐들
흐들
응
앗
퍽
퍽
퍽
앗
찔
꺽
앗
코우타
….
코우타.
앗
코타

뫄박
맛
맛
가…
뫄박
뫄밝
움찔
움찔
크-윽
아앗
아…
아…!
움찔
움찔 움찔
크-윽
한창
하고 있을 때
이름을
부른다든가,
난 그런 거
절대로
안 할 줄
알았는데.

더는
안 돼.
약
먹어.

타—앙
…
환기

너 용케
이성을
붙잡고
있네.
발정하고
있는
오메가를
상대로.
심지어
내 냄새는
엄청
강한데

안 잡고
있어
바보야!!!
완전
패배
섹스
잖아
방금
그건
!!
창문 열고
팬티 한 장
샤우팅
목
안 물었으니까
세이브
아닌지
쭈욱

나만
이성
날아가는 건
불합리하지
않아?
약 싫어하는 건
이제 그만
어떻게 좀
해봐.
몸 식는다
둘 둘

하!
알바
트로스.
더럽게
고지식한
바보.
뭐???
End.

B∞C—111

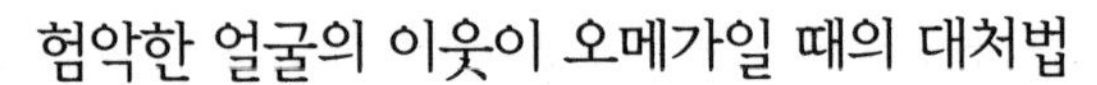


2024년 06월 08일 초판 인쇄
2024년 06월 15일 초판 발행

저자 : Inui Nikuya
역자 : 이선민
발행인 : 황민호
콘텐츠2사업본부장 : 최재경
책임편집 : 유수림 / 임효진 / 김영주
발행처 : 대원씨아이(주)

서울 특별시 용산구 한강대로15길 9-12
전화 : 2071-2000·FAX : 6352-0115
1992년 5월 11일 등록 제 3-563호



ISBN 979-11-7203-906-6 07830